GEIRIAU BOB DYDD

Children's Picture Dictionary of
WELSH EVERYDAY WORDS
for Welsh-speakers and learners

Dylunydd a modelwr: Jo Litchfield
Testun Cymraeg: Roger Boore

DREF WEN

Bydd *GEIRIAU BOB DYDD*
yn rhoi hwyl ddi-ben-draw i blant ifanc. Ar bob tudalen ddwbl ceir golygfa gyfarwydd o'r byd o'n cwmpas, a llu o bosibiliadau ar gyfer siarad, darllen a chydfwynhau.

Bydd plant bach iawn wrth eu bodd yn adnabod ac enwi'r gwahanol wrthrychau a welir. Bydd plant sy'n dechrau darllen yn mwynhau darllen y geiriau wrth ymyl y lluniau.

Mae'r Rhestr Geiriau yng nghefn y llyfr yn casglu'r holl eiriau yn nhrefn y wyddor. Gellir annog plant i chwilio hon am eiriau, er mwyn dod o hyd i'r dudalen a'r llun cywir – sgil pwysig wrth ddefnyddio geiriaduron a llyfrau cyfair yn nes ymlaen.

Bydd y llyfr hyfryd hwn yn helpu pob plentyn i fwynhau darllen Cymraeg.

WELSH EVERYDAY WORDS
will give boundless pleasure to young children who are learning Welsh. It has been specially designed so that English-speaking parents can enjoy it with their children.

Each double page shows a familiar scene from the world around us, providing plenty of opportunities for talking and sharing. Very young children will have fun simply spotting and naming the different objects in Welsh. Children who are beginning to read Welsh will enjoy reading the words that accompany the pictures.

A Welsh-English Word List at the back of the book brings together all the words in alphabetical order. When necessary, this can be used to check meanings. Children can also be encouraged to look up words and find the right page and picture – an important skill which will prepare them for the later use of dictionaries and information books.

This delightful book will help every child to enjoy learning Welsh.

Y teulu

chwaer   brawd

merch   tad

mab   mam

mam-gu, nain

tad-cu, taid

ŵyr   wyres

3

Y dref

Chwiliwch am un deg pump o geir
FIND FIFTEEN CARS

gorsaf betrol

archfarchnad

siopau

4

ysbyty

pwll nofio

ysgol

maes parcio

sinema

pont

5

Y stryd

siop pobydd

gweinydd

plismon

siop fferyllydd

cadair wthio

arhosfan bysiau

 siop cigydd

 ci

 caffe

 sgrialfwrdd

 dyn tân

 pram

 polyn lamp

swyddfa bost

 cath

 pobydd

Y tŷ

Chwiliwch am wyth cwpan
FIND EIGHT CUPS

drws

dolen drws

carped

to

canllaw

8

croglofft

ystafell wely

stydi

ystafell ymolchi

ystafell fyw

cyntedd

cegin

lle tân

swits golau

mat

ffenestr

grisiau

9

Yr ardd

 Chwiliwch am un deg saith o abwydod
FIND SEVENTEEN WORMS

 lindysyn

pot blodau

gwenynen

hof

asgwrn

gwlithen

buwch goch gota

deilen

malwen

morgrugyn

cribin

cwt ci

coeden

barbeciw

pilipala

berfa

hadau

nyth

peiriant torri gwair

11

Y gegin

sinc

cyllell

Chwiliwch am ddeg tomato
FIND TEN TOMATOES

peiriant golchi

tostiwr

cadair

soser

bwrdd, bord

cwpan

padell ffrio

micro-don

fforc

gogr

cwcer

llwy

padell lwch

peiriant golchi llestri

plât

sosban

jwg

powlen

cwpwrdd rhew

13

Pethau i'w bwyta

bisgeden   torth

pasta   reis   blawd   grawnfwyd

sudd ffrwythau   bag te   coffi   siwgr

llaeth, llefrith   hufen   menyn   wy   caws   iogwrt

cyw iâr   corgimwch   selsigen   cig moch   pysgod   salami

ham   cawl   pitsa   halen   pupur   mwstard

sôs coch   mêl   jam   rhesins   cnau mwnci   dŵr

pinafal	gellygen	leim	lemon	eirinen wlanog	bricyllen
ceiriosen	banana	mefusen	mafonen	mango	grawnffrwyth
eirinen	cneuen goco	oren	melon dŵr	melon	grawnwin
afal	ffrwyth ciwi	tomato	afocado	taten	ffa gwyrdd
courgette	bresychen	nionyn	madarchen	moronen	aubergine
cenhinen	brocoli	blodfresychen	pys	pigoglys	betysen
letysen	seleri	corn melys	cucumer	chilli	pupur

Yr ystafell fyw

 Chwiliwch am chwe chasét
FIND SIX CASSETTES

 cryno-ddisg

 pwrs

 cadair freichiau

 sugnydd llwch

 tâp fideo

 soffa

 peiriant fideo

stereo

jig-so

teledu

recorder

blodyn

powlen
ffrwythau

tambwrîn

hambwrdd

clustog

piano

clustffonau

17

Y stydi

Chwiliwch am naw pen ysgrifennu
FIND NINE PENS

desg

cyfrifiadur

ffôn

cylchgrawn

gitâr

planhigyn

llyfr

creon

ffotograff

18

Ystafell ymolchi

Chwiliwch am dri chwch
FIND THREE BOATS

sebon

basn

tywel

plwg

toiled

bath

papur tŷ bach

crib

siampŵ

cawod

19

Yr ystafell wely

crocodeil

trwmped

Chwiliwch am bedwar corryn
FIND FOUR SPIDERS

cist
ddroriau

robot

gwely

tedi

roced

dol

drwm

20

llong ofod

eliffant

casét

neidr

cloc larwm

pyped

cwpwrdd gwely

llew

blanced

jiráff

cardiau chwarae

21

O gwmpas y tŷ

pâst dannedd

brws dannedd

papur newydd

llythyr

bleind

llen

dwfe

gobennydd

albwm
ffotograffau

bwrdd
smwddio

haearn
smwddio

peiriant gwnïo

fâs

llygoden
gyfrifiadur

potyn

sbwng

tap

brws gwallt

drych

bin

hylif golchi llestri

cyfrifiannell

teganau

lamp

Cludiant

ambiwlans

injan dân

car heddlu

hofrennydd

lori

car

jac codi baw

sgwter

cwch

canŵ

carafán

awyren

balŵn
awyr-boeth

tractor

tacsi

beic

bws

beic modur

llong danfor

trên

car rasio

fan

car cebl

car agored

Y fferm

 mochyn bach

 mochyn

Chwiliwch am bump o gathod bach
FIND FIVE KITTENS

gŵydd

tarw

buwch

llo

 ceiliog

cyw bach

 iâr

24

 ysgubor

 cwningen

 dafad

 oen

 llyn

 asyn

 gafr

 ffermwr

 twrci

 ceffyl

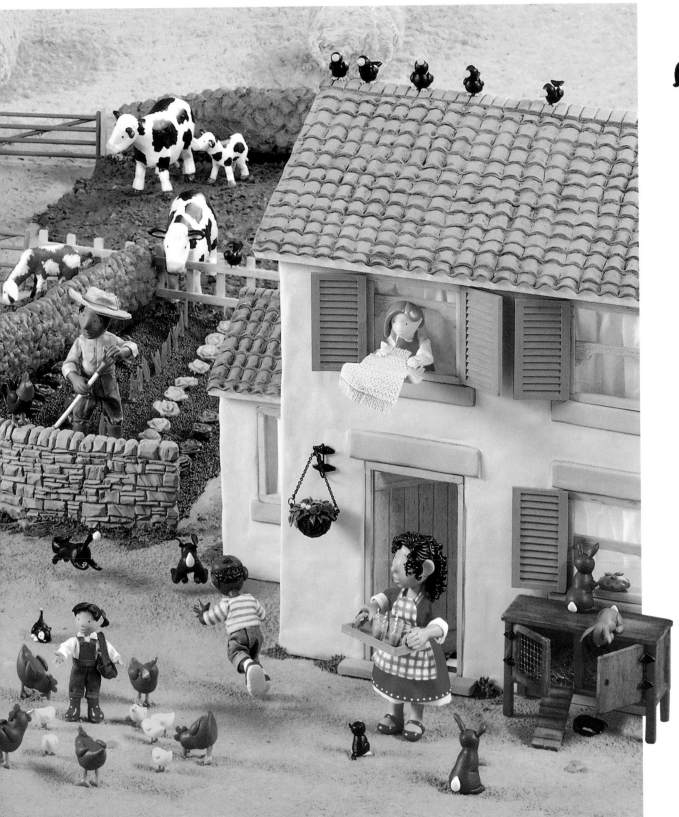

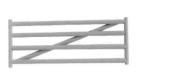 clwyd

 hwyaden fach

 hwyaden

 ci bach

25

Ystafell ddosbarth

hogwr pensil

 Chwiliwch am ddau ddeg creon
FIND TWENTY CRAYONS

îsl

pen
ysgrifennu

papur

pen ffelt

sialc

bachyn côt

siswrn

bwrdd du

26

llinyn

stôl

pensil

rwber

tâp

glud

blociau

paent

brws paent

athro

cloc

llyfr ysgrifennu

pren mesur

27

Y parti

 Chwiliwch am un deg un o afalau
FIND ELEVEN APPLES

 chwaraewr casetiau

 anrheg

môr-leidr

cowboi

meddyg

 creision

 popcorn

balŵn

rhuban

teisen

siocled

hufen iâ

cerdyn

balerina

môr-forwyn

gofodwr

losin

cannwyll

gwelltyn

cadair uchel

clown

29

Gwersylla

Chwiliwch am ddau dedi
FIND TWO TEDDIES

cês

pabell

camera

radio

sach gefn

pasbort

tortsh

ffilm

arian

pêl droed

ymbarél

map

deulygadion

cath fach

tocyn

31

Pethau i'w gwisgo

crys T

jîns

dyngarîs

ffrog

sgert

teits

pyjamas

gŵn gwisgo

fest

bib

siwmper

crys chwys

cardigan

trowsus

ffedog

crys

côt

tracwisg

trowsus byr

trôns

gwisg nofio

trowsus nofio

bicini

tei

gwregys

bresys

zip

botwm

sgarff

sbectol

sbectol haul

bathodyn

oriawr

hosan

maneg

het

cap

helm

esgid fawr

esgid ymarfer

esgid ddawnsio

sliper

esgid

sandal

Y gweithdy

blwch offer

Chwiliwch am un deg tri o lygod

FIND THIRTEEN MICE

can dŵr

hoelen

morthwyl

cyllell boced

sgriwdreifer

tun

corryn

34

llif

feis

allwedd

abwydyn

bwced

rhaw

matsien

blwch
cardbord

olwyn

piben ddŵr

rhaff

gwyfyn

sbaner

ysgub

Y parc

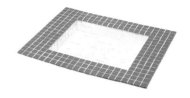

pwll padlo

Chwiliwch am saith pêl droed

FIND SEVEN FOOTBALLS

bachgen

36

aderyn

brechdan

raced

hambyrgyr

barcut

baban

ci poeth

sglodion

cadair olwyn

merch

siglenni

si-so

chwirligwgan

llithren

37

Rhannau'r corff

pen

clust

tafod

trwyn

ceg

dannedd

llygad

cefn

bola

bogail

braich

coes

penelin

pen-lin

llaw

troed

bys

bys bawd

pen-ôl

gwallt hir

gwallt byr

gwallt cyrliog

gwallt syth

39

Gwneud pethau

cysgu

reidio beic

marchogaeth

gwenu

chwerthin

crio, llefain

canu

cerdded

rhedeg

neidio

cicio

40

ysgrifennu   peintio   tynnu llun   darllen   torri papur   glynu

eistedd   sefyll   gwthio   tynnu

bwyta   yfed   cael bath   cusanu   chwifio

Siapiau

 hirgrwn

cylch

 cilgant

 triongl

 sgwâr

 petryal

 seren

Lliwiau

 coch

 pinc

 melyn

 brown

 llwyd

 glas

 porffor

 gwyn

 gwyrdd

 du

 oren

Rhifau

1 un

2 dau

3 tri

4 pedwar

5 pump

6 chwech

7 saith

8 wyth

9 naw

10 deg

11 un deg un

12 un deg dau

13 un deg tri

14 un deg pedwar

15 un deg pump

16 un deg chwech

17 un deg saith

18 un deg wyth

19 un deg naw

20 dau ddeg

Rhestr geiriau *Word list*

a abwydod *worms* 10
abwydyn *worm* 35
aderyn *bird* 6, 37
afal *apple* 15
afalau *apples* 28
afocado *avocado* 15
albwm ffotograffau
photograph album 22
allwedd *key* 35
ambiwlans *ambulance* 23
anrheg *present* 28
archfarchnad
supermarket 4
ardd (gardd) *garden* 10
arhosfan bysiau *bus stop* 6
arian *money* 31
asgwrn *bone* 10
asyn *donkey* 25
athro *teacher* 27
aubergine *aubergine* 15
awyren *aeroplane* 23

b baban *baby* 37
bachgen *boy* 36
bachyn côt *coat hook* 26
bag te *tea bag* 14
balerina *ballerina* 29
balŵn *balloon* 28
balŵn awyr-boeth *hot-air
balloon* 23
banana *banana* 15
barbeciw *barbecue* 11
barcut *kite* 37
basn *basin* 19
bath *bath* 19
bathodyn *badge* 33
bedwar (pedwar) *four* 20
beic *bicycle* 23
beic modur *motorbike* 23
berfa *wheelbarrow* 11
betysen *beetroot* 15
bib *bib* 32
bicini *bikini* 33
bin *bin* 22
bisgeden *biscuit* 14

blanced *blanket* 21
blawd *flour* 14
bleind *blind* 22
blociau *blocks* 27
blodfresychen *cauliflower* 15
blodyn *flower* 17
blwch cardbord
cardboard box 35
blwch offer *toolbox* 34
bogail *belly button* 38
bola *tummy* 38
bord *table* 12
botwm *button* 33
braich *arm* 39
brawd *brother* 3
brechdan *sandwich* 37
bresychen *cabbage* 15
bresys *braces* 33
bricyllen *apricot* 15
brocoli *broccoli* 15
brown *brown* 42
brws dannedd
toothbrush 22
brws gwallt *hairbrush* 22
brws paent *paintbrush* 27
bump (pump) *five* 24
buwch *cow* 24
buwch goch gota
ladybird 11
bwced *bucket* 35
bwrdd *table* 12
bwrdd du *chalkboard* 26
bwrdd smwddio *ironing
board* 22
bws *bus* 23
bwyta *eating* 41
bys *finger* 39
bys bawd *thumb* 39

c cadair *chair* 12
cadair freichiau *armchair* 16
cadair olwyn *wheelchair* 37
cadair uchel *high chair* 29
cadair wthio *pushchair* 6
cael bath *bathing* 41

caffe *café* 7
camera *camera* 30
can dŵr *watering can* 34
canllaw *bannister* 8
cannwyll *candle* 29
canu *singing* 40
canŵ *canoe* 23
cap *cap* 33
car *car* 23
car agored *sports car* 23
car cebl *cable car* 23
car heddlu *police car* 23
car rasio *racing car* 23
carafán *caravan* 23
cardiau chwarae *playing
cards* 21
cardigan *cardigan* 32
carped *carpet* 8
casét *cassette* 21
cath *cat* 7
cath fach *kitten* 31
cawl *soup* 14
cawod *shower* 19
caws *cheese* 14
cefn *back* 38
ceffyl *horse* 25
ceg *mouth* 38
cegin *kitchen* 9, 12
ceiliog *cockerel* 24
ceir *cars* 4
ceiriosen *cherry* 15
cenhinen *leek* 15
cerdyn *card* 29
cerdded *walking* 40
cês *case* 30
chilli *chilli* 15
ci *dog* 7
ci bach *puppy* 25
ci poeth *hot dog* 37
cicio *kicking* 40
cig moch *bacon* 14
cilgant *crescent* 42
cist ddroriau *chest of
drawers* 20
cloc *clock* 27

taten *potato* 15
tedi *teddy* 20
teganau *toys* 22
tei *tie* 33
teisen *cake* 29
teits *tights* 32
teledu *television* 17
teulu *family* 3
to *roof* 8
tocyn *ticket* 31
toiled *toilet* 19
tomato *tomato* 12, 15
torri papur *cutting paper* 41
tortsh *torch* 30
torth *loaf* 14
tostiwr *toaster* 12
tractor *tractor* 23
tracwisg *tracksuit* 32
tref *town* 4
trên *train* 23
tri *three* 43
triongl *triangle* 42
troed *foot* 39
trôns *pants* 33

trowsus *trousers* 32
trowsus byr *shorts* 33
trowsus nofio *swimming trunks* 33
trwmped *trumpet* 20
trwyn *nose* 38
tun *tin* 34
twrci *turkey* 25
tŷ *house* 8
tynnu *pulling* 41
tynnu llun *drawing* 41
tywel *towel* 19

u
un *one* 43
un deg chwech *sixteen* 43
un deg dau *twelve* 6, 43
un deg naw *nineteen* 43
un deg pedwar *fourteen* 43
un deg pump *fifteen* 4, 43
un deg saith *seventeen* 10, 43
un deg tri *thirteen* 34, 43
un deg un *eleven* 28, 43
un deg wyth *eighteen* 43

w wy *egg* 14
ŵyr *grandson* 3
wyres *granddaughter* 3
wyth *eight* 8, 43

y yfed *drinking* 41
ymbarél *umbrella* 31
ysbyty *hospital* 5
ysgol *school* 5
ysgrifennu *writing* 41
ysgub *broom* 35
ysgubor *barn* 25
ystafell ddosbarth *classroom* 26
ystafell fyw *living room* 9, 16
ystafell wely *bedroom* 9, 20
ystafell ymolchi *bathroom* 9, 19

z zip *zip* 33

Golygyddion: Rebecca Treays, Kate Needham, Lisa Miles
Ffotograffiaeth: Howard Allman
Modelwr: Stefan Barnett
Rheolwr golygu: Felicity Brooks
Rheolwr dylunio: Mary Cartwright
Trefnu a dylunio ffotograffiaeth: Michael Wheatley
Diolchir i Inscribe Cyf ac Eberhard Faber am ddarparu deunydd modelu Fimo®.

Modelau ychwanegol: Les Pickstock, Barry Jones, Stef Lumley a Karen Krige. Gyda diolch i Vicki Groombridge, Nicole Irving a'r Model Shop, 151 City Road, Llundain.